O PORQUINHO MAIS VELHO DECIDIU FAZER UMA CASA DE PALHA, PORQUE ERA UM MATERIAL LEVE E QUE DEIXARIA A CASA QUENTINHA. ALÉM DISSO, DARIA MENOS TRABALHO NA CONSTRUÇÃO.

O PORQUINHO DO MEIO PREFERIU FAZER UMA CASA DE MADEIRA, QUE, ALÉM DE AQUECER BEM, ERA UM MATERIAL FÁCIL DE SER ENCONTRADO.

JÁ O PORQUINHO MAIS NOVO OPTOU POR CONSTRUIR UMA CASA DE TIJOLOS, QUE DARIA MUITO TRABALHO, MAS O DEIXARIA MAIS QUENTINHO E PROTEGIDO.

ALGUM TEMPO DEPOIS, AS CASAS DOS PORQUINHOS FICARAM PRONTAS, E OS IRMÃOS LOGO SE MUDARAM. O QUE ELES NÃO SABIAM É QUE VINHAM SENDO OBSERVADOS POR UM LOBO MALVADO QUE VIVIA NAS REDONDEZAS...

O LOBO FOI ATÉ A CASA DE PALHA E GRITOU PELO PORQUINHO MAIS VELHO, AMEAÇANDO ASSOPRAR A CASA ATÉ ELA CAIR. COMO O PORQUINHO NÃO SAIU NEM ABRIU A PORTA, O LOBO ASSOPROU, ASSOPROU, E... A CASA DE PALHA DESMORONOU. O PORQUINHO CORREU PARA A CASA DO IRMÃO DO MEIO.

O LOBO CORREU ATRÁS DO PORQUINHO E, CHEGANDO À CASA DE MADEIRA, AGIU DA MESMA FORMA: COMO OS DOIS IRMÃOS NÃO SAÍRAM, ELE ASSOPROU, ASSOPROU, E... A CASA DE MADEIRA FOI ABAIXO. OS PORQUINHOS, ENTÃO, FUGIRAM PARA A CASA DO IRMÃO MAIS NOVO.

O LOBO PERSEGUIU OS PORQUINHOS ATÉ A CASA DE TIJOLOS E, MUITO IRRITADO, AMEAÇOU OS TRÊS IRMÃOS. ELE ASSOPROU, ASSOPROU... MAS, DESTA VEZ, A CASA NÃO CAIU! JÁ SEM FÔLEGO E PERCEBENDO QUE NÃO CONSEGUIRIA DERRUBAR A CASA COM SEU ASSOPRO, O MALVADO DECIDIU ENTRAR PELA CHAMINÉ.

O LOBO ESCALOU O TELHADO, ENTROU PELA CHAMINÉ E FOI SURPREENDIDO POR UM GRANDE CALDEIRÃO DE ÁGUA QUE FERVIA NA LAREIRA. AO SE QUEIMAR, O LOBO GRITOU ALTO! ELE FICOU TÃO TRAUMATIZADO QUE FUGIU E NUNCA MAIS FOI VISTO.